titre original : *Viespeuk.*

Dépôt légal : septembre 1998.
Bibliothèque nationale.
ISBN 2-84455-016-9.

Exclusivité au Canada :

1815, avenue De Lorimier
Montréal (Québec)
H2K 3W6 Canada.
Dépôt légal : 3e trimestre 1998.
Bibliothèque nationale du Québec,
Bibliothèque nationale du Canada.
ISBN 2-89428-320-2.

Loi n° 49-956 du 16 juillet 1949
sur les publications destinées à la jeunesse.

Imprimé en CEE.

Heureux comme Ulysse

D'après un texte de Els Pelgrom
illustré par Jan Jutte
raconté en français par
M.-E. de Grave et E. Vert

L'élan vert • Hurtubise HMH

Table des matières

1. Le brocanteur

Voilà plusieurs années que Serge a recueilli le bouc Ulysse. Depuis, ils habitent ensemble dans une cabane en bois, au milieu d'un terrain vague.
Ce matin, Ulysse est de très mauvaise humeur. Il interpelle son ami :
« Serge ! Regarde autour de toi, et dis-moi ce que tu vois.
– Je ne vois rien, à part toi et moi.
– Rien ! Tu ne vois rien ! Et ce fatras d'objets qui nous encombrent ?

– Tu récupères tout ce que tu trouves, continue Ulysse, et tu l'entasses ici. Je veux vivre dans une vraie maison, moi, et non dans la réserve d'un brocanteur.
– Une vraie maison ? s'étonne Serge. Parce que nous n'avons pas de maison ?
– Je veux une maison propre et agréable, riposte Ulysse. Et puis, tu es crasseux comme un cochon.
– Un cochon, moi ? s'exclame Serge. Mais je me suis lavé déjà deux fois cette année !
– Déjà deux fois ! s'étonne Ulysse avec ironie. Tu as utilisé du savon au moins ?

– Non ! Le savon me pique les yeux.
– Serge, tu ressembles à… à un épouvantail.
Tes vêtements sont troués.
Et tu sens le bouc ! Beurk !
– Eh ! C'est toi le bouc !
Serge fait la grimace.
Je ne suis peut-être pas aussi
propre que toi, il faut bien le reconnaître.
Tu es tout blanc ! Alors que moi
je suis… heu… je suis…
– Tu es noir de crasse !
Et en plus tu es désordonné.
Regarde ce bric-à-brac.
Tu ne jettes jamais rien.
Je ne peux plus poser
une patte sans
me cogner. »

2. Une idée

La cabane est pleine de vieux objets.
Dans la cour, des matériaux s'amoncellent.
« Il nous sera bientôt impossible de rentrer dans notre cabane, poursuit Ulysse.
As-tu vraiment besoin de ces planches et de cette ferraille ?
– Quelle question ! riposte Serge.
Toutes ces choses peuvent servir un jour ou l'autre. »
Serge ramasse un morceau de ficelle :
« Par exemple, voilà du fil pour étendre le linge. Et là, du bois pour allumer le feu.
Enfin, avec ce grillage, je réalise un enclos…

– Hum ! grogne Ulysse peu convaincu.
– Tout ça est en parfait état, insiste Serge. Je ne vois rien dont je peux me séparer.
– Notre cabane est trop petite, plaide Ulysse. Nous sommes complètement envahis. J'aimerais tant une maison ! Une grande maison avec un joli jardin. »
Deux grosses larmes coulent sur ses joues. Serge est gêné. Il cherche une idée pour se faire pardonner.

« Je vais te construire une maison !
annonce-t-il.
– Construire une maison ?
s'étonne Ulysse. Mais avec quoi ?
Nous n'avons rien pour bâtir une maison.
– Comment ça rien ! Serge sourit.
Tu vas voir ! »
Serge se met aussitôt au travail.
Il ramasse ici quelques briques.
Et là, des planches, une boîte de clous.
« Ulysse, sais-tu où j'ai posé ma pelle ?
crie-t-il.
– Non ! Tu vois, c'est difficile
de retrouver quelque chose ici. »
Serge aperçoit enfin la pelle
sous un tas de planches.

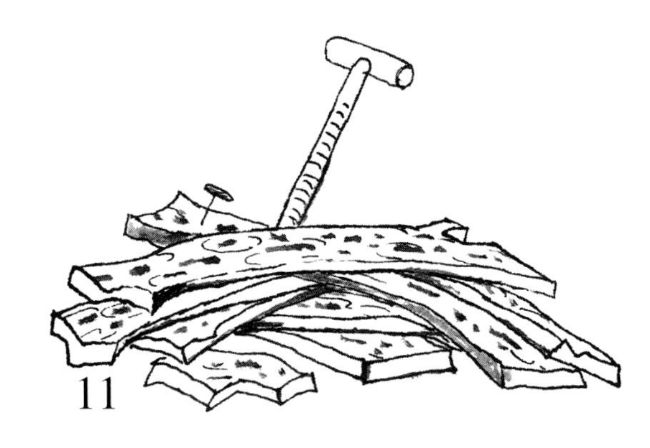

3. Une maison sans toit ?

La pelle à la main, Serge commence son ouvrage.
« Enfin quelque chose à faire ! pense-t-il.
Heureusement que j'ai conservé ce matériel ! »
Les coups de marteau résonnent dans la cour. Ulysse tend l'oreille :
« Laissons-le faire, songe-t-il.
On verra bien le résultat. »
Serge est très énervé. Il transporte, pose, reprend, jette… Il travaille vite pour terminer avant la nuit.

De son côté, Ulysse s'active également.
Il commence par le rangement
de la cabane. Il balaye
tout ce qui encombre le sol.
Dehors, Serge chante
pour se donner du courage.
« J'espère que sa maison sera plus belle
que sa chanson ! » pense Ulysse.
Soudain, la chanson s'arrête net,
au milieu du refrain. Ulysse sort
de la cabane.
« Tu as oublié les paroles ? demande-t-il
Ou tu as peut-être mal aux oreilles ?

– Je réfléchis ! répond Serge.
Au lieu de te moquer,
tu ferais mieux d'ouvrir les yeux.
– Une maison ! C'est une maison !
s'écrie Ulysse. Mais d'où vient ce mur ?
Et cette porte ? Et cette fenêtre ?
– Elle te plaît au moins ? » demande
Serge inquiet.

4. L'installation

Ulysse pénètre dans la maison.
Soudain, le ciel s'assombrit.
Ulysse lève la tête :
« Il va pleuvoir ce soir, remarque-t-il.
Mais… mais, il n'y a pas de toit
à la maison !
– C'est justement à ça que je réfléchis,
précise Serge. Construire un toit
est très difficile. Je cherche
quel matériel utiliser. »

MC

Pendant que Serge réfléchit,
Ulysse déménage les meubles
dans leur nouvelle demeure.
Tard dans la nuit, Serge finit
de poser le toit.
La maison est enfin achevée.
« Je suis étonné de voir
une telle réussite ! admire Ulysse.
– Je m'étonne moi-même, avoue Serge.
Je ne savais pas que j'étais capable
de construire une aussi jolie maison.
Mais il me reste à peindre les murs
en bleu, ou peut-être en rouge.
Qu'en penses-tu ? »

Soudain, Ulysse remarque les traces
de pas laissées par Serge sur le plancher.
Or, justement il avait posé un paillasson
devant sa porte.
« Tu pourrais t'essuyer les pieds
avant d'entrer ! s'écrie-t-il furieux.
Et tu as vu comme tu es dégoûtant ! »

5. Un jardin extraordinaire

Aujourd'hui, devant sa maison,
Ulysse est encore furieux contre Serge.
« J'aimerais un jardin à la place
de cette décharge », lance-t-il
en montrant le bric-à-brac qui encombre
la cour. Le rouge monte aux oreilles
de son ami ; c'en est trop pour lui.
« Ta maison, c'est aussi une décharge ?
réplique-t-il. À ton avis, avec quoi
est-elle construite ? »

Ulysse se tourne vers la maison.
Ici il reconnaît une planche,
des briques, une bouteille.
Et là, sur la porte, du grillage, une tôle.
Et pourtant, la maison est jolie.
« Tu vois, ce que je fais avec
les matériaux de construction »,
dit Serge triomphant.
Ulysse semble convaincu.
« Il ne faut rien jeter.
Ça peut toujours servir ! »
conclut Serge.

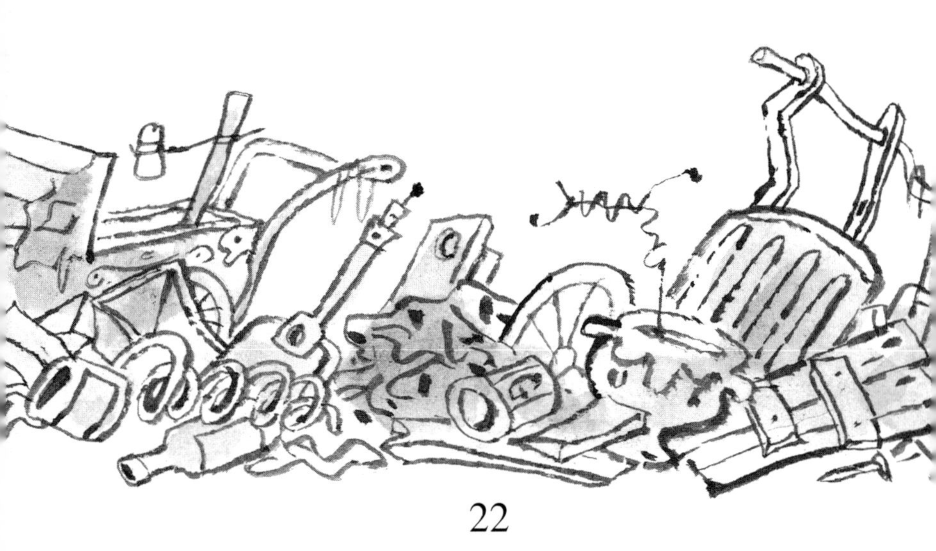

Le lendemain matin,
Ulysse se lève tôt, avant Serge.
Il prend une boîte en fer
et sort sans faire de bruit.
Dans le terrain vague,
tout autour de la maison,
il sème des graines à la volée.

Quelques temps après,
par un beau matin d'été,
Serge découvre son terrain vague
recouvert d'un tapis rouge de coquelicots.

Collection Étoile

Une poule à l'école

En route pour l'école, Théo rencontre Picotte, une petite poule perdue dans la foule. Théo installe Picotte sur sa bicyclette et l'emmène avec lui. Une poule à l'école, à la piscine, au supermarché, cela risque d'être drôle !

Le petit pont

Jules et Jim habitent de chaque côté du pont, un pont si petit qu'on ne peut le traverser à deux.
Aujourd'hui, Jules et Jim sont pressés et veulent franchir le pont en même temps. Qui passera le premier ? Aussi bête et têtu l'un que l'autre, Jules et Jim parviendront-ils à passer le pont ?

Le monstre gourmand

Les nuits de Gilles sont devenues des cauchemars ! Un monstre l'empêche de dormir et vide le réfrigérateur. Gilles a peur. Et personne ne croit à son histoire de monstre gourmand.

Le bric-à-brac de Jacques

Quelle pagaille chez Jacques ! Avec tout ce bric-à-brac, il n'a plus la place de bouger. Un grand ménage s'impose. Mais que faire de cette chaise, de ce vase, de ce vieux coffre et de ce tableau ?
Pour donner une nouvelle vie à ces objets, Jacques a bien des idées, mais....

Trois princes et une limace

Le vieux roi est malade. Le moment est venu pour lui de désigner un héritier au royaume. Lequel de ces trois princes ferait un bon successeur ? Le roi va tenter de les départager en les mettant à l'épreuve. Qui aurait pensé que leur sort dépendait d'une limace ?

Du rififi chez les poux

C'est la panique dans la famille Pou ! Un assaut de peigne et de shampooing antipou qui pique les oblige à trouver une meilleure cachette que les cheveux de Marie-Lou...

L'odyssée des deux amis

Paul et Jack sont de très bons amis. Ils décident de partir en randonnée. Sauront-ils affronter une rivière tumultueuse, une invasion d'insectes, des sommets vertigineux, une ville tentaculaire ?

Pas folle, la vache !

Ce matin, avant d'aller à l'école, Chloé rend visite à Marguerite, une jeune vache un peu folle. Au moment de partir, Chloé oublie de refermer la porte... et la vache prend la clé des champs.
Après maintes péripéties, Marguerite arrive devant l'école de Chloé...

Je veux un chien !

Dans une semaine, Sylvain aura huit ans. Il aimerait qu'on lui offre un chien. Ses parents n'en ont pas l'intention. Alors, il faut convaincre Grand-mère, mais elle lui tricote déjà un pull. Comment lui faire renoncer à son ouvrage ?

Une tête de cochon

Un jeune garçon qui ne veut pas manger de viande. Un boucher qui meurt de rire. Un cochon qui s'ennuie à la ferme. Un petit garçon qui n'aime pas la viande. Un boucher... Cette histoire ne se mordrait-elle pas la queue... en tire bouchon ?

Capitaine Charlie

« Non ! Je ne veux pas de chien à la maison ! » dit Maman à Léa en voyant Charlie, un chien abandonné. Léa décide alors de partir avec son nouvel ami. De trésor, en tempête, ce voyage leur réserve bien des surprises.

Heureux comme Ulysse

Ulysse, un bouc recueilli par Serge se plaint de vivre au milieu d'un fatras d'objets ramassés par son ami. Mais que faire de tout ce bric-à-brac ? Serge a une idée, pour rendre Ulysse heureux, et se met tout de suite au travail...